CUIL BHEAG ÓG

Walker Books a chéadfhoilsigh faoin teideal Tiny Little Fly
Eagrán Béarla

Clóchurtha in Egyptian Extended ag WorldAccent

Sa tSín a clóbhuaileadh

ISBN 978-1-4063-4595-7

Walker Éireann, Walker Books Ltd, 87 Vauxhall Walk, London SE11 5HJ

www.walker.co.uk

CUIL BHEAG ÓG

FOCAIL LE
MICHAEL ROSEN

PICTIÚIR LE
KEVIN WALDRON

Gabriel Rosenstock
a d'aistrigh

WALKER ÉIREANN

Pí-Pá-Póg,
Cuil Bheag Óg!

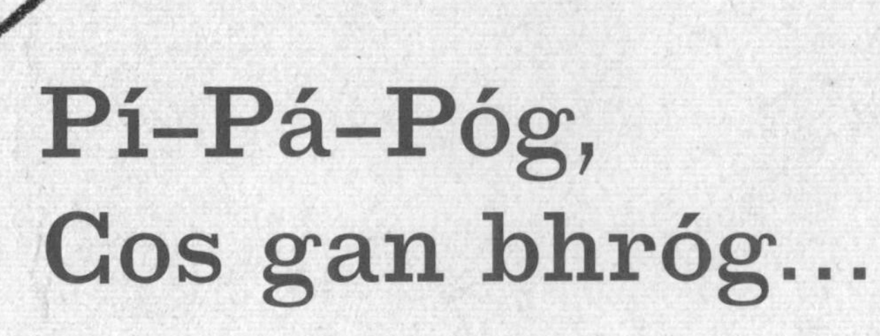

Pí-Pá-Póg,
Cos gan bhróg...

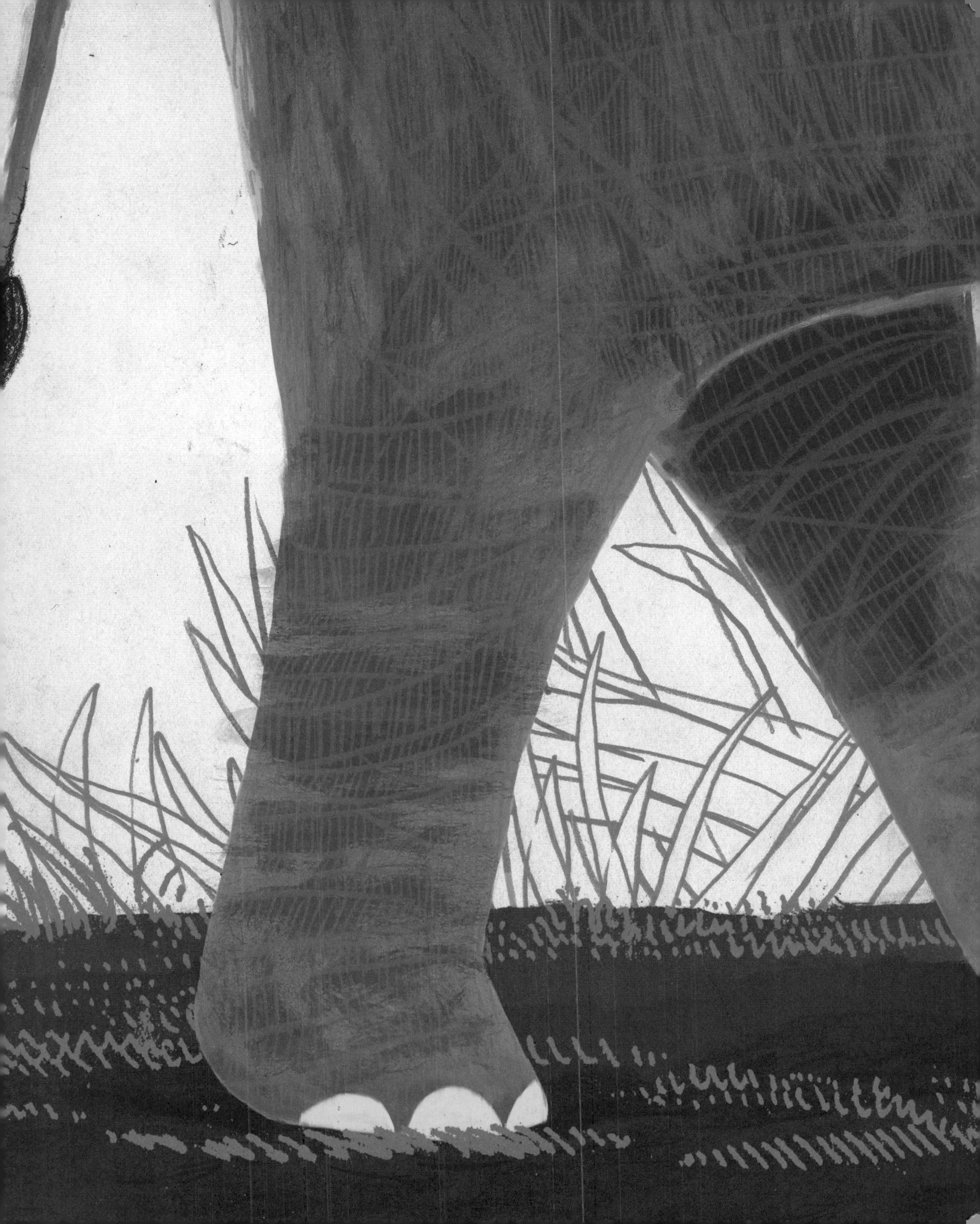

Pí–Pá–Póg,
Suífidh mé ar do shrón!

Arsa Eilifint Mhór,
“Dar mo ruball
(is dar mo thóin!)
Béarfaidh mise
Ar Chuil Bheag Óg!”

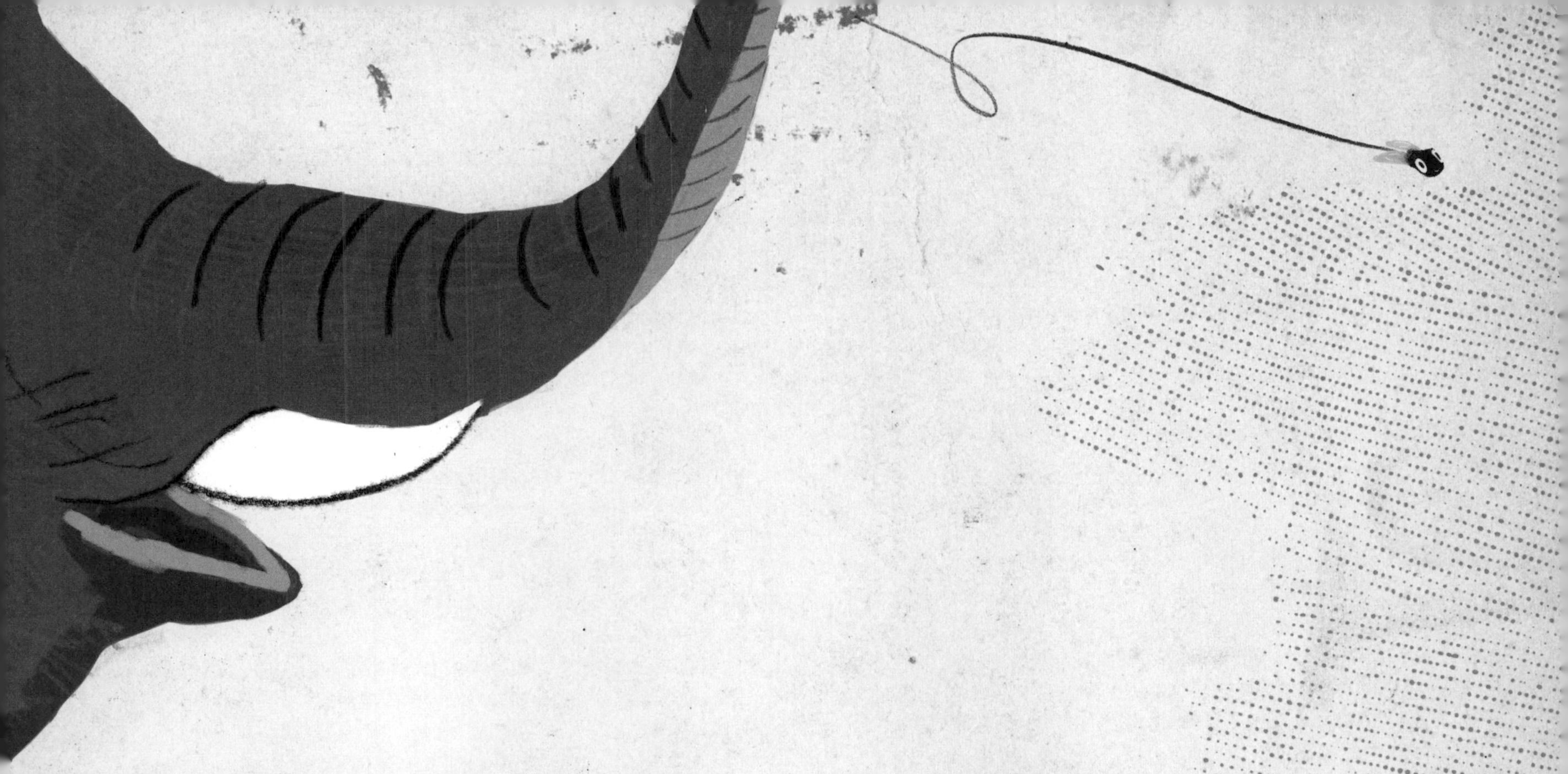

VAM! BAM BAM!

Dar seo is dar siúd,
a leithéid de ghleo!
Ach ní bheireann Eilifint
Ar Chuil Bheag Óg.

Pí-Pá-Póg,
Cuil Bheag Óg!

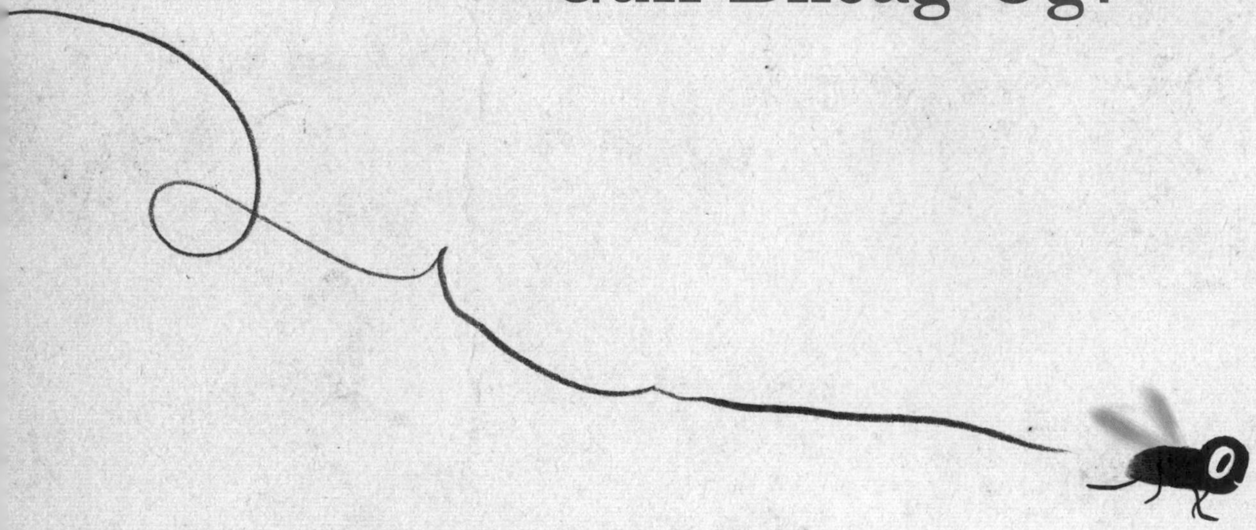

Arsa Cuil Bheag Óg,
"Suas! Suas! Suas!"

Agus arsa Dobhareach,
"Suas ar mo chluas?!"

Arsa Dobhareach Mór, "Dar mo bhéal (is dar

mo shrón!), béarfaidh mise ar Chuil Bheag Óg!"

BASC IS BRÚ!

"Mo chreach is mo bhrón!"
Níor rug Dobhareach Mór
Ar Chuil Bheag Óg.

Pí–Pá–Póg,
Cuil Bheag Óg!

"Arú! Dar Príosta!
Feicimse stríoca!"

"Cé leis na stríoca?"

Cé eile ach le Tíogar!

“Dar mo dhinnéar (is dar mo lóinín!),

béarfaidh mise ar an gCuil Bheag Óg sin!”

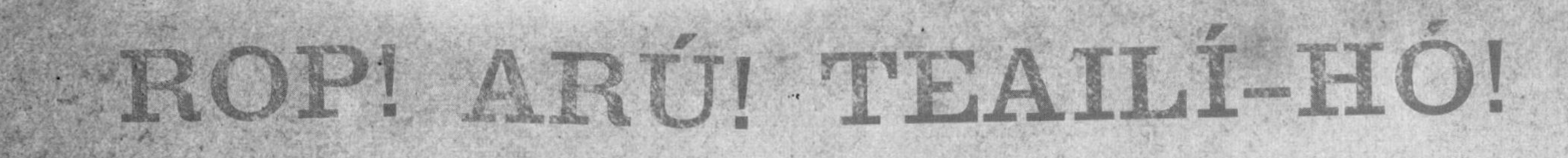
ROP! ARÚ! TEAILÍ-HÓ!

Ach níor rug Tíogar Mór
ar Chuil Bheag Óg!

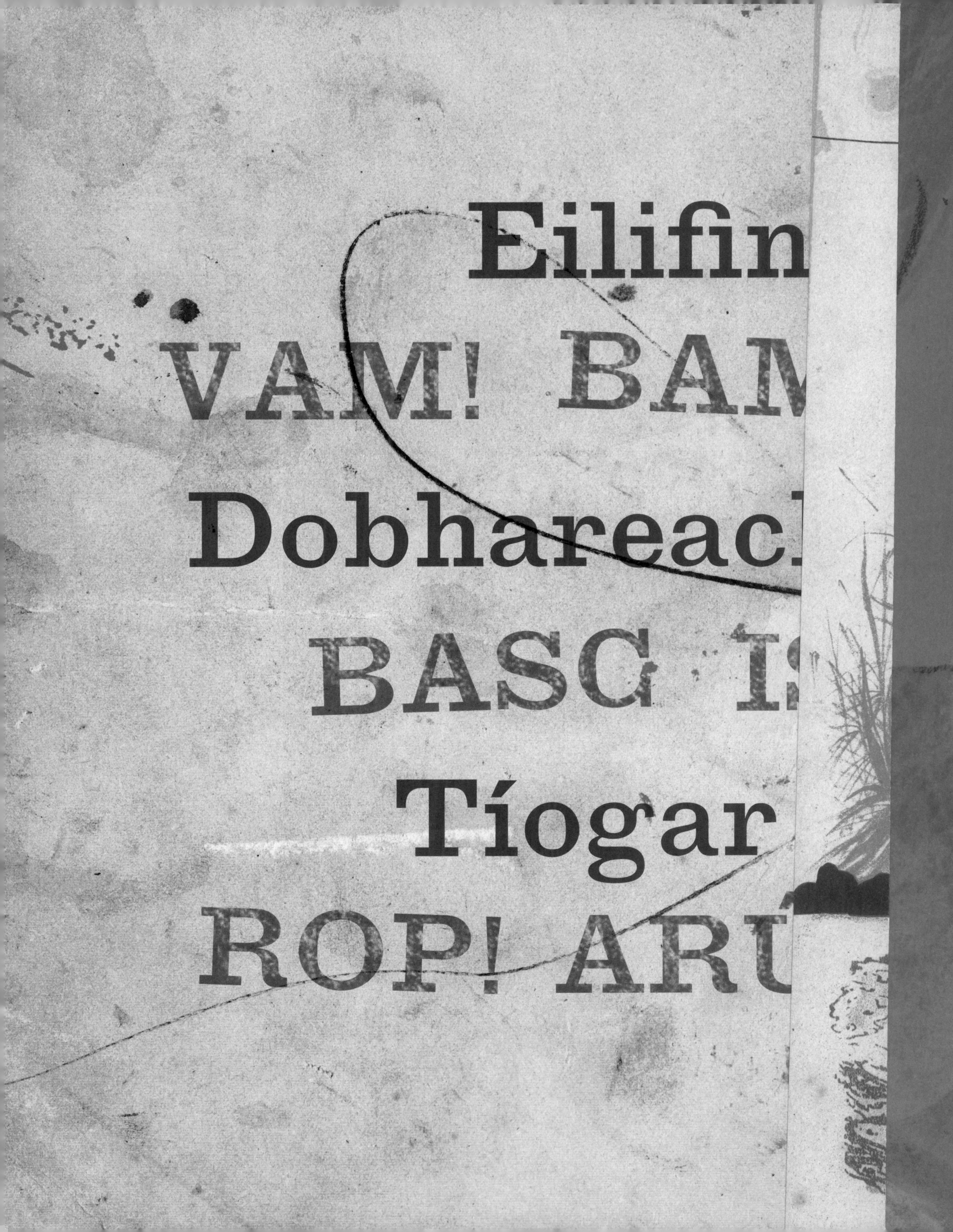

Eilifin
VAM! BAM
Dobhareac
BASC I
Tíogar
ROP! AR

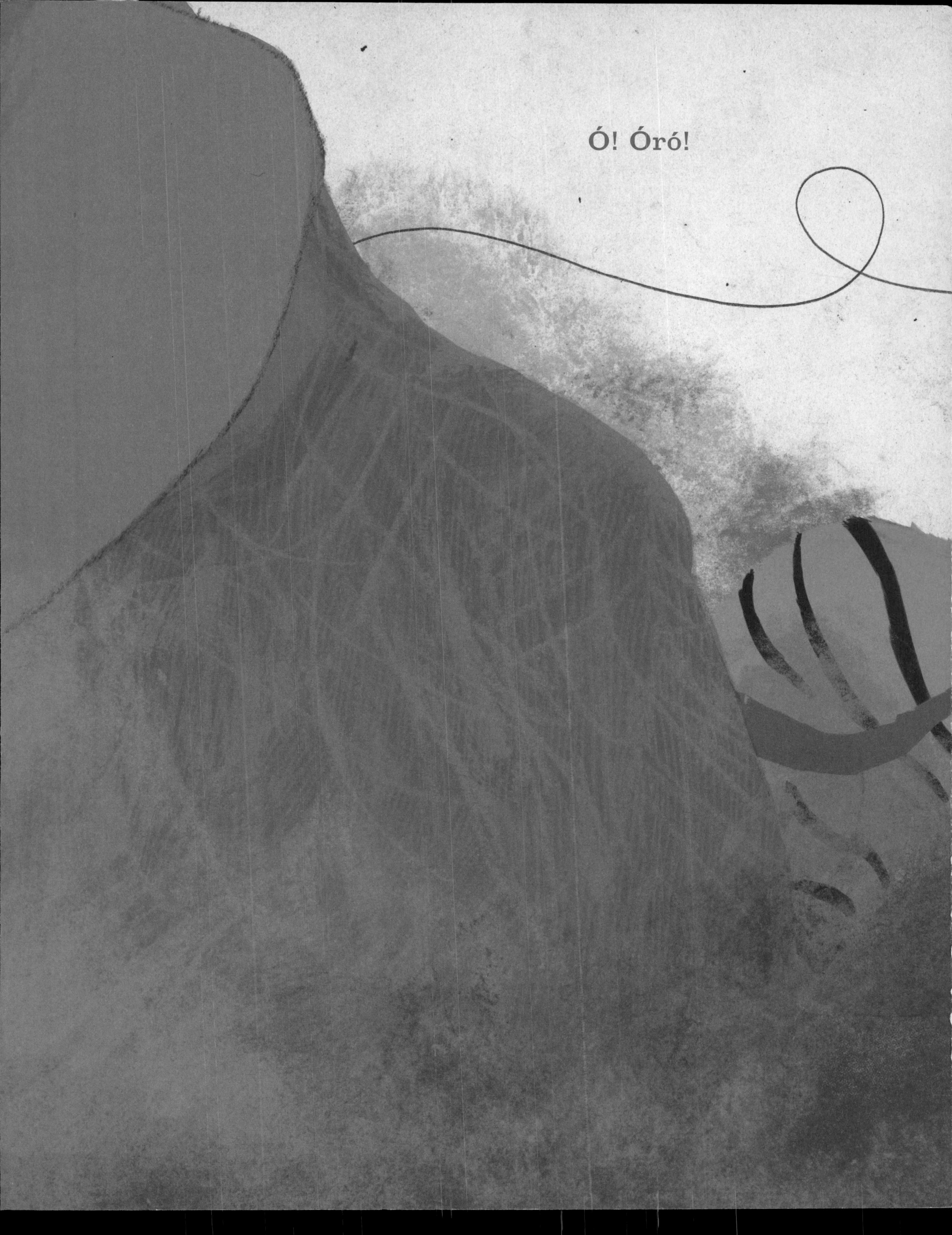

Ó! Óró!

Eitil leat anois, a Chuil Bheag Óg!

Pí–Pá–Póg,
Cuil Bheag Óg!

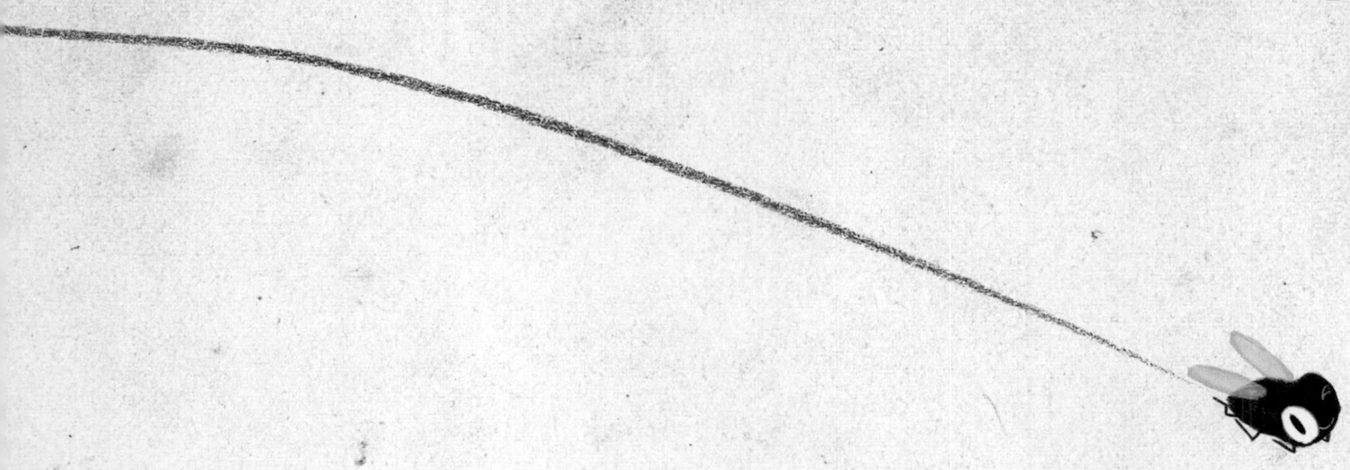

"Pí–Pá–Póg,
agus
slán
go fóill!"